这派那派无论什么派,终归斗不过行动派。

所谓奋斗的意义,无非是竭尽全力远离庸人!这些年拼命做事,无非是希望看到更美的风景,也希望自己能成为别人眼中不错的风景。现在回头来看,最有趣的景色,其实就在翻山越岭的路途之中。

知到极处便是行,行到极处即为知,知行合一是职场最大的修行。

"小和尚为啥斗得过老妖怪?"因为"小和尚有戒律"!戒律就是让你"先为不可胜而后求胜"。

毕业前几年，其实就是个体实现真正的社会化和独立意志逐渐觉醒的过程。

狭路相逢勇者胜。能吃苦的人很多,但有勇气的人凤毛麟角。

在最有承受能力的时候冲出去，靠的是时机，敢不敢冲出去靠的是勇气。这都取决于观念。

永远不要轻视学历的力量，更不要否认和轻视名校学历的力量。这个法则适用于地球上任何国家。但名校更多的是入场券和催化剂，并不能保证商业和职场的最终成功。

当一个人心智越成熟、能力越强、社会地位越高,不需要其他人提供情感和物质上的援助时,他的共情社交就越少,而功利社交就越多。

粉和黑，难以持久。长远讲：路人，才是人际常态。虽然有些悲哀，但这是现实。与其在可疑的人际关系上耗费心力，不如一心一意、低头练剑！

个人真正的长大,是认识到社会和个人发展的根本动力是交换,客观评估自己所拥有的竞争资源,用最有效的方式来配置自己的资源,并通过社会分工和交换获得最高的价值。

5%的勇气锁定了100%的未来。只有迈出第一个5%，才会拥有后来的100%。有些人，一辈子爬过的高峰，只是上下班高峰。

没有什么是安全的,安全的生活比死亡还糟糕;没有什么是确定的,悬而未决才是生活大美;自由的生命,是缤纷高贵和绚美庄严之所在。

路走久了,关系背景自然多了。让阴谋论、背景论见鬼去吧。

在积累了丰富的社会经验和行业经验后，实现财富的爆发式增长往往只需要很短的时间。

人生的意义究竟是什么？管他呢！不该去追寻或者试图证明存在的意义，我们存在的本身就是最大的意义。如同流萤的萤，如同星空的星，如同草长莺飞的草，如同宇宙微尘的尘埃，四时消长，繁衍与消亡，无意义本身就是人生所有的意义！

我最喜欢知乎这句话：你爷爷不努力，你老爸不努力，你知道来问这个问题。你再不努力，你儿子、你孙子将来还要来关注这个问题。

其实我们都是在海边玩沙子的小孩,在岁月之浪侵袭而来前,我们只有加油垒起自己心目中的城堡。但如果遇到有沙子磨脚,不要硬扛,要先弯腰,把沙子倒出来。

不管愿不愿意，无论承不承认，每个人都根据稀缺性，而被暗中标好了价格。商品的价值是使用价值，人的价值是利用价值。

智慧的出发点是怀疑，道德的出发点是相信！商业中不要掺和伦理，也不要抗拒别人对你的怀疑。想获得职位，就得把事情搞定，要不然就只能被离开。

专业的表现就是"说到做到"。生命的本质是时间,品牌的本质是承诺,不遵守承诺就是在谋财害命,连累自己的个人品牌一文不值。

世界是面镜子,你只看到你愿意看到的,这叫幻境。陷入幻境很危险,挣脱出来,一需要棒喝,二需要慧根。

职场中什么人容易成功？我来告诉你：傻子和疯子。傻子是肯吃亏的人，疯子是肯行动的人。

生活的本质是选择,一场没有彩排的演出,一场走向坟墓的舞蹈,一场注定要孤独的盛宴,一场持续不断的试图不堕入平庸泥潭的努力。

年轻人的苦恼无非是：自己想站着，亲朋好友无一例外地告诉他，跪着舒服！

智商是世界的秩序，而降维攻击则是胜利者的秘密。

战略的核心是重点论，本质是权衡取舍，外在体现是"放弃"。管理的核心呢？是"残忍"——要求极其理性。为什么，因为现实很残忍。

岁月最大的敌手不是死亡、不是孤独，而是虚妄。管理最大的难题是个性的成熟。

除了生病和亲友去世的痛苦是真实的,其他痛苦只是价值观而已。

CEO的能力是——专心致志的能力和无路可走时选择最佳路线的能力。

个人发展的野心必须建立在公司发展的前提和依托之上,0 的 99% 还是 0。

做领导的，不能逼着英雄扛事，就是笨蛋！识别不了真正的英雄，就是失职！轻易放走了英雄，简直就是犯罪。让狗熊坐在英雄的位子上，那就该杀头了。

50年的利益格局叫规则；500年的利益格局叫法律；5000年的利益格局叫文化。

招人就像武大郎开店,要找拥有一致价值观的人一起做事,否则即便能力再强也会出问题。

金钱的快感,在于它能带来更多的选择,而不只是更多的物质。

产品人格化，CEO明星化，是网红时代的导流技巧。

以己之短，攻敌之长，是对别人几十年付出和学习的蔑视。

穷人家的孩子，缺的绝对不是宠爱，而是见识，是充裕经济条件支撑下的视野、格局和心态的提升，是多情境高效率的社交训练。

30岁之前要放,要张扬,要试错,要撞墙碰壁跌跟头,要看风景攒经验,以此来获得洞穿世道人心的能力和清醒的自我观照与定位。

对度过艰苦岁月的人来看,快乐是奢侈品,可有可无;而对于"90后"而言,快乐是必需品,和阳光空气一样与生俱来。

找一家中意的公司、找一个中意的岗位，坚持 10 年必成大器。

如何抓住发财的机会？态度端正、头脑清晰；未雨绸缪、专心积累；扩展人脉、勇于尝试。一句话：卡位、布局、等风来！

成不了网红，那你就别去创业！

99.99%的新品牌、新产品和新企业,都是死于流量不足。

以"勾引"为主要手段的病毒营销,已经是企业老板和创业精英们的终极门槛。

以人为商业的切入点和运营核心,这就是生意的趋势和未来。

"网红经济"的本质可以概括为"做内容+养粉丝+卖产品"。

在社交媒体的新传播时代，冒犯别人、极端化的表达和吹牛大王，反而成为圈粉和建立影响力的不二之选。

这个世界，但凡取得点成就的人，都是有点儿"自虐"倾向的人。

如何创建"很毒"的内容,少花钱甚至不花钱而实现百万甚至千万级别的品牌曝光,将成为"网红"能否持久红下去的关键。

好产品到底怎么做？一言以蔽之，以差异化价值聚拢规模化客户并创造长期价值。差异化价值是核心。

智慧是最大的性感，唯有智慧，才能成就"神"一样和拥有牢固护城河的"网红"，而且，不会弄脏自己的羽毛。

阅读量高低是能力，尽力则无悔，但阅读量造假可就是人品了，这个信息越来越对称的时代，谁比谁傻？这样做其实是自毁前程。

即便你选择创业的行业符合O2O模式的前提条件,我还是要提醒你:运营、资本、营销,一个也不能少!

商业的发展途径只有一个：复制！小米生态链的本质，我的理解就是，对小米成功关键因素的复制和放大。

寒门难出贵子，责任真的在父母。

如果你觉得生活容易，一定是有人替你承担了太多不易。

寒门子弟，至少得焦虑30年，才能学会放松；必须被挫败300次，才能逐渐从容；丛林社会没人指导，盲人骑瞎马，夜半临深池；头破血流到40岁，才算真正了解社会。

同智商、情商、逆商等一样，时商，也就是对待时间的态度和运用时间创造价值的能力。我认为，这是当下最靠谱的概念。

精神自由在先,财富自由在后。精神自由是超越自我,财富自由是超越外在。

啥叫安全感？在我看来，它是懒惰惯性作用下的不良嗜好。

你所谓的舒适区，不过是"英年早逝"的墓志铭。

"舒适区"更像是理想国，是一个毕生朝圣的目标，而不是路上的一把躺椅，随时可供你休息。

"生命有限，知识无穷"，你要变得杰出，就必须花比别人更多的时间来学习，来磨炼自己的大脑。

经验是智慧的一种,其实更是勇气的重要部分。

缺乏对传统营销精髓的尊重和掌握，任何新媒体新工具都不过是流动的盛宴和短命的狂欢；放弃对病毒式营销的追进和学习，任何顶尖策略和产品都不过是易逝之烟花和注定之败局。

在行的人，永远都抢手。

抓住根本，绕开细枝末节，这是一个人在有限的生命中取得成功的关键。

理性的行动派，最性感。

从本质上讲，理性是一种技能而非性格，因为性格的养成最终还是来源于技能的提升。职场中的成熟不见得能迁延到生活中去。

主动地去经历事务，积极地从书中和自己的实践中总结规律，思考如何应用规律，就是达到"理性"彼岸的通道。

在执行力面前，想法和创意一文不值。

岁月能拉平人与人之间的差距。生活有一种神奇的平衡能力，任何一条道路都不可能只有利没有弊。拖着不做选择，才是选择最大的风险。

63%的富豪为了财富甘愿承担风险,但只有6%的穷人愿意这么做。他们坚信自己是自己的皇帝、是自己的太阳、是自己的宙斯。别笑,这是真的。

交朋友的本质是资源互换、利益共享，也就是合作。

好的内容能像病毒一样自复制自传播。一篇文章能在短短两天时间实现爆炸式和病毒式推广？我认为根本原因在于"将合适的内容在合适的平台上推送给合适的人"。

用一句话概括O2O就是：凡订单和收入来自线上，线下只承担配送，而且"解决掉不创造核心价值的中间环节"的商业模式，皆可称为O2O。而如果只是借助互联网和移动互联网做一些品牌宣传和产品推广，并没有实现渠道变革型精简的，只能成为具有互联网意识的传统企业。

无直播，不网红。直播的时代才刚刚开始，我们通过与众人的相互结合，将自己变为一种新的、更强大的物种。

"将一些有的没的,可能有用又没什么用的东西,给那些自己都想不明白需不需要的人。"这句话道出了营销的本质。

无论是博客、微博，还是微信时代，写作是营销人的基本功，是对思维的训练，是头脑的草稿纸，当然也是情绪的沙袋。

小狼要辉煌，还得靠老狼。老狼在资源和技能上的加持，足以让小狼获得神一样的光彩。

一切节省，本质上都是对时间的节省！

看不透自然想不通，想不通自然做不到。

看不透"职场就是一个冷酷残酷的价值交换体系",升职或自我升值一定就跟你没什么关系。

坚信自己的直觉,坚定地对自己抱有最大的期望,就是最大的自我善待。

多琢磨琢磨如何错位竞争，比长得帅的人更聪明，比聪明的人家境好，比家境好的人身体棒，比身体棒的人学历高……相信我，你一定有超越他人的地方，这就是你的竞争优势。

最强大的人脉,其实就是你自己。

企业的生命线是现金流,人生也是!当现金流断了,只能拿命挡,此时的命就比纸还贱。

人生是一场世代累加的马拉松,教育一定是投资回报率最高的方式。

成长道路无非两条，或循规蹈矩，或野蛮生长。

勇气其实是平凡人的一次选择。搞定貌似不可能搞定的事,就是人生最大的胜利。

奋斗就像明星，你看到的是他们风光靓丽的那一刻，你没看到的是他们当年像蘑菇一样在等待在修炼在哭泣在焦虑。

体面体面,先靠体力,后靠面子。商业世界很现实,它只在乎你的业绩,没人关注自尊。有业绩为体,才有薪酬、地位做面子。

切忌用体力上的勤奋，代替脑力上的懒惰。

优秀是一个陷阱。你刚毕业能优秀到哪儿去？职场前 10 年，不要参加同学会，不会跟别人比。闷下头好好干 10 年，10 年后我保证你鹤立鸡群。

北京是世界上最伟大的城市，它无比包容，你所拥有的梦想基本都可以在这里实现，只要你足够坚持。

要用制度解决道义上的困境。靠管理者自我道德约束，其实是将企业置于极其危险的境地。制度创新才是企业管理的顶层设计。

优秀的人只在做事上较劲,恩怨纠葛属于情绪问题,对于做事和成长毫无意义。一个人具备做大事的能力,首先必须超级理性。不让情绪纠缠自己,懂得和现实讲和。

如果你想变富,只需在一生中不断地买入资产就行了;如果你想变穷,只需不断地买入负债。搞清楚了资产和债务的区别,财富自由就触手可及。

任何圆满与满足，大多时候是暂时性状态。趁年轻竭尽全力为社会创造价值，给世间你最珍惜的情感最充足的物质保障，这是你我的责任。